Orações do Cristão Católico

Orações do Cristão Católico

Compilação de
Frei Edrian Josué Pasini, OFM

EDITORA
VOZES

Petrópolis

© 2018, Editora Vozes Ltda.
Rua Frei Luís, 100
25689-900 Petrópolis, RJ
www.vozes.com.br
Brasil

1ª edição, 2018.

11ª reimpressão, 2025.

Todos os direitos reservados. Nenhuma parte desta obra poderá ser reproduzida ou transmitida por qualquer forma e/ou quaisquer meios (eletrônico ou mecânico, incluindo fotocópia e gravação) ou arquivada em qualquer sistema ou banco de dados sem permissão escrita da editora.

CONSELHO EDITORIAL

Diretor
Volney J. Berkenbrock

Editores
Aline dos Santos Carneiro
Edrian Josué Pasini
Marilac Loraine Oleniki
Welder Lancieri Marchini

Conselheiros
Elói Dionísio Piva
Francisco Morás
Gilberto Gonçalves Garcia
Ludovico Garmus
Teobaldo Heidemann

Secretário executivo
Leonardo A.R.T. dos Santos

PRODUÇÃO EDITORIAL

Aline L.R. de Barros
Jailson Scota
Marcelo Telles
Mirela de Oliveira
Natália França
Otaviano M. Cunha
Priscilla A.F. Alves
Rafael de Oliveira
Samuel Rezende
Vanessa Luz
Verônica M. Guedes

Editoração: Maria da Conceição B. de Sousa
Diagramação: Editora Vozes
Revisão gráfica: Fernando Sergio Olivetti da Rocha
Capa: Idée Arte e Comunicação
Foto de capa: ©Loci B. Lenar | Flickr

ISBN 978-85-326-5772-5

Este livro foi composto e impresso pela Editora Vozes Ltda.

Sumário

Apresentação, 7

Orações quotidianas, 9

Orações na santa missa, 11

Orações da Liturgia das Horas, 15

Orações de contrição, fé, esperança e caridade, 19

Orações ao Divino Espírito Santo e à Santíssima Trindade, 21

Orações a Nossa Senhora, 23

Orações a São José, 29

Ladainhas, 31

Via-sacra, 41

O santo rosário, 49

Orações da manhã e da noite, 55

Orações para as refeições, 59

Orações diversas, 61

Informações básicas para o cristão católico, 69

Índice, 75

Apresentação

Orações do cristão católico quer nos lembrar daquelas primeiras orações que aprendemos com nossos pais e que levamos para a vida toda.

É um pequeno livro de diária e constante companhia para adultos, jovens e crianças. Nele são oferecidas as orações que estão na memória afetiva dos cristãos católicos e que respondem ao apelo de Jesus de rezar mais constantemente. Algumas nos foram ensinadas pela nossa mãe e/ou pelo nosso pai logo depois que aprendíamos as primeiras palavras. Passamos a rezá-las em família, antes de sair de casa para a escola ou à noite aos pés da cama...

São rezas que pertencem ao arcabouço devocional e familiar e que desejam tocar profundamente o coração de Deus. De maneira simples, tendemos a nos aproximar dele, deixando-nos envolver por sua bênção a tal ponto que "já não somos nós, mas, sim, o seu Santo Espírito é quem pede ao Pai por nós". A partir delas, pois, outras podem ser elaboradas subjetiva e/ou comunitariamente.

No silêncio de cada momento de oração entramos em contato com a nossa dimensão interior, a parte profundamente religiosa de nossa alma. Orando, demonstramos nossa fé, alimentamos e animamos nosso ser, dialogamos com Deus que caminha conosco, junto com seus anjos e santos.

Vigilantes, oremos sem cessar, louvemos a Deus e com Ele estejamos em todo tempo.

Frei Edrian Josué Pasini, OFM

ORAÇÕES QUOTIDIANAS

SINAL DA CRUZ

Em nome do Pai e do Filho e do Espírito Santo. Amém.

PAI-NOSSO

Pai nosso que estais nos céus, santificado seja o vosso nome; venha a nós o vosso reino, seja feita a vossa vontade, assim na terra como no céu.
O pão nosso de cada dia nos dai hoje; perdoai-nos as nossas ofensas, assim como nós perdoamos a quem nos tem ofendido; e não nos deixeis cair em tentação, mas livrai-nos do mal. Amém.

AVE-MARIA

Ave, Maria, cheia de graça, o Senhor é convosco; bendita sois vós entre as mulheres, e bendito é o fruto do vosso ventre, Jesus. Santa Maria, Mãe de Deus, rogai por nós, pecadores, agora e na hora de nossa morte. Amém.

GLÓRIA-AO-PAI

Glória ao Pai e ao Filho e ao Espírito Santo. Assim como era no princípio, agora e sempre e por todos os séculos dos séculos. Amém.

AO ANJO DA GUARDA

Santo anjo do Senhor, meu zeloso guardador, se a ti me confiou a piedade divina, sempre me rege, guarda, governa e ilumina. Amém.

ORAÇÕES NA SANTA MISSA

ATO PENITENCIAL

Senhor, tende piedade de nós.
Senhor, tende piedade de nós.
Cristo, tende piedade de nós.
Cristo, tende piedade de nós.
Senhor, tende piedade de nós.
Senhor, tende piedade de nós.

GLÓRIA

Glória a Deus nas alturas, e paz na terra aos homens por Ele amados. Senhor Deus, Rei dos céus, Deus Pai todo-poderoso: nós vos louvamos, nós vos bendizemos, nós vos adoramos, nós vos glorificamos, nós vos damos graças por vossa imensa glória. Senhor Jesus Cristo, Filho Unigênito, Senhor Deus, Cordeiro de Deus, Filho de Deus Pai. Vós que tirais o pecado do mundo, tende piedade de nós. Vós que tirais o pecado do mundo, acolhei a nossa súplica. Vós que estais à direita do Pai, tende piedade de nós. Só Vós sois o Santo, só Vós, o Senhor, só Vós, o Altíssimo, Jesus Cristo, com o Espírito Santo, na glória de Deus Pai. Amém.

PROFISSÃO DE FÉ (CREDO)

Creio em Deus Pai todo-poderoso, criador do céu e da terra; e em Jesus Cristo, seu único Filho nosso Senhor, que foi concebido pelo poder do Espírito Santo; nasceu da Virgem Maria, padeceu sob Pôncio Pilatos, foi crucificado, morto e sepultado; desceu à mansão dos mortos; ressuscitou ao terceiro dia; subiu aos céus; está sentado à direita de Deus Pai todo-poderoso, donde há de vir a julgar os vivos e os mortos. Creio no Espírito Santo, na santa Igreja Católica, na comunhão dos santos, na remissão dos pecados, na ressurreição da carne, na vida eterna. Amém!

ORAÇÃO PELA PAZ

Senhor Jesus Cristo, dissestes a vossos apóstolos: Eu vos deixo a paz, eu vos dou a minha paz. Não olheis os nossos pecados, mas a fé que anima a vossa Igreja; dai-lhe, segundo o vosso desejo, a paz e a unidade. Vós que sois Deus, com o Pai e o Espírito Santo. Amém.

CORDEIRO DE DEUS

Cordeiro de Deus, que tirais o pecado do mundo,
tende piedade de nós.
Cordeiro de Deus, que tirais o pecado do mundo,
tende piedade de nós.
Cordeiro de Deus, que tirais o pecado do mundo,
dai-nos a paz.

Orações da Liturgia das Horas

BENEDICTUS
(Na oração da manhã)

Bendito seja o Senhor Deus de Israel,
porque a seu povo visitou e libertou;
e fez surgir um poderoso Salvador
na casa de Davi, seu servidor,
como falara pela boca de seus santos,
os profetas, desde os tempos mais antigos,
para salvar-nos do poder dos inimigos
e da mão de todos quantos nos odeiam.
Assim mostrou misericórdia a nossos pais,
recordando a sua santa aliança
e o juramento a Abraão, o nosso pai,
de conceder-nos que, libertos do inimigo,
a Ele nós sirvamos sem temor
em santidade e justiça diante dele,
enquanto perdurarem nossos dias.
Serás profeta do Altíssimo, ó menino,
pois irás andando à frente do Senhor
para aplainar e preparar os seus caminhos,

anunciando ao seu povo a salvação,
que está na remissão de seus pecados,
pela bondade, e compaixão de nosso Deus,
que sobre nós fará brilhar o Sol nascente,
para iluminar a quantos jazem entre as trevas
e na sombra da morte estão sentados
e para dirigir os nossos passos,
guiando-nos no caminho da paz.
Glória ao Pai e ao Filho e ao Espírito Santo,
como era no princípio, agora e sempre. Amém.

MAGNIFICAT
(Na oração da tarde)

A minh'alma engrandece o Senhor,
e se alegrou o meu espírito em Deus, meu Salvador,
pois Ele viu a pequenez de sua serva,
desde agora as gerações hão de chamar-me de bendita.
O Poderoso fez em mim maravilhas,
e Santo é o seu nome!
Seu amor, de geração em geração,
chega a todos os que o respeitam.
Demonstrou o poder de seu braço,
dispersou os orgulhosos.
Derrubou os poderosos de seus tronos
e os humildes exaltou.
De bens saciou os famintos
e despediu, sem nada, os ricos.

Acolheu Israel, seu servidor,
fiel ao seu amor,
como havia prometido a nossos pais,
em favor de Abraão e de seus filhos para sempre.
Glória ao Pai e ao Filho e ao Espírito Santo,
como era no princípio, agora e sempre. Amém.

ORAÇÕES DE CONTRIÇÃO, FÉ, ESPERANÇA E CARIDADE

ATO DE CONTRIÇÃO

Senhor meu Jesus Cristo, Deus e homem verdadeiro, criador e redentor meu, por serdes Vós quem sois, sumamente bom e digno de ser amado sobre todas as coisas, e porque vos amo e estimo, pesa-me, Senhor, de todo o meu coração de vos ter ofendido; pesa-me também por ter perdido o céu e merecido o inferno; e proponho firmemente, ajudado com os auxílios de vossa divina graça, emendar-me e nunca mais vos tornar a ofender. Espero alcançar o perdão de minhas culpas pela vossa infinita misericórdia. Amém.

ATO DE FÉ

Eu creio firmemente que há um só Deus em três pessoas iguais e distintas, Pai e Filho e Espírito Santo. Creio que o Filho de Deus se fez homem, padeceu e morreu na cruz para nos salvar e, ao terceiro dia, ressuscitou. Creio em tudo o mais que crê e ensina a Igreja de Cristo, porque Deus, Verdade infalível, lhe revelou. Nesta crença quero viver e morrer.

ATO DE ESPERANÇA

Eu espero, meu Deus, com firme confiança, que, pelos merecimentos de Nosso Senhor Jesus Cristo, me dareis a salvação eterna e as graças necessárias para consegui-la, porque Vós, sumamente bom e poderoso, o haveis prometido a quem observar o Evangelho de Jesus, como eu proponho fazer com o vosso auxílio.

ATO DE CARIDADE

Eu vos amo, meu Deus, de todo o meu coração e sobre todas as coisas porque sois infinitamente bom e amável, e antes quero perder tudo do que vos ofender. Por amor de Vós amo ao meu próximo como a mim mesmo.

Orações ao Divino Espírito Santo e à Santíssima Trindade

INVOCAÇÃO AO ESPÍRITO SANTO

Vinde, Espírito Santo, enchei os corações de vossos fiéis e acendei neles o fogo de vosso amor. Enviai o vosso Espírito e tudo será criado. E renovareis a face da terra.

Oremos: Deus, que instruístes os corações dos vossos fiéis com a luz do Espírito Santo, fazei que apreciemos retamente todas as coisas segundo o mesmo Espírito e gozemos sempre de sua consolação. Por Cristo Senhor Nosso. Amém.

ORAÇÃO AO ESPÍRITO SANTO

Ó Espírito Santo! Amor do Pai e do Filho, inspirai-me sempre o que devo pensar, o que devo dizer, como dizê-lo, o que devo calar, o que devo escrever, como devo agir, o que devo fazer para procurar vossa glória, o bem das pessoas e minha própria santificação.

Ó Espírito Santo! Ajudai-me a ser bom e fiel à graça de Deus neste dia e inflamai no fogo de vosso amor o mundo que se materializa. Amém!

ORAÇÃO À SANTÍSSIMA TRINDADE

Glória ao Pai que, por seu poder, me criou à sua imagem e semelhança! Glória ao Filho que, por amor, me libertou de todas as frustrações e me abriu a porta do céu! Glória ao Espírito Santo que, por sua misericórdia, me santificou e continuamente realiza esta santificação pelas graças que todos os dias recebo de sua infinita bondade! Glória às três adoráveis pessoas da Trindade, como era no princípio e agora e sempre e por todos os séculos dos séculos! Eu vos adoro, Trindade beatíssima, com devoção e profundo respeito, e vos dou graças por nos haverdes revelado tão glorioso e inefável mistério. Humildemente vos suplico: concedei-me que, perseverando até a morte nesta crença, possa ver e glorificar no céu o que firmemente creio na terra: um Deus em três pessoas distintas: Pai e Filho e Espírito Santo. Amém.

ORAÇÕES A NOSSA SENHORA

O ANJO DO SENHOR
(*Angelus* – para o Tempo Comum)

O anjo do Senhor anunciou a Maria.
- **E ela concebeu do Espírito Santo.**
Ave Maria...
Eis aqui a serva do Senhor.
- **Faça-se em mim segundo a vossa palavra.**
Ave Maria...
E o Verbo se fez carne.
- **E habitou entre nós.**
Ave Maria...
Rogai por nós, Santa Mãe de Deus.
- **Para que sejamos dignos das promessas de Cristo.**

Oremos: Infundi, Senhor, como vos pedimos, a vossa graça em nossas almas, para que nós, que pela anunciação do anjo viemos ao conhecimento da encarnação de Jesus Cristo, vosso Filho, por sua paixão e morte sejamos conduzidos à glória da ressurreição. Pelo mesmo Cristo nosso Senhor. Amém.

RAINHA DO CÉU

(*Regina Caeli* – para o Tempo Pascal)

Rainha do céu, alegrai-vos, aleluia.
– **Porque quem merecestes trazer em vosso puríssimo seio, aleluia.**
Ressuscitou como disse, aleluia.
– **Rogai por nós a Deus, aleluia.**
Exultai e alegrai-vos, ó Virgem Maria, aleluia.
– **Porque o Senhor ressuscitou verdadeiramente, aleluia!**

Oremos: Ó Deus, que vos dignastes alegrar o mundo com a ressurreição de vosso Filho Jesus Cristo, Senhor nosso, concedei-nos, vo-lo suplicamos, que por sua Mãe, a Virgem Maria, alcancemos os prazeres da vida eterna. Pelo mesmo Nosso Senhor Jesus Cristo. Amém.

TOTA PULCHRA

(Toda formosa – para os sábados)

Vós sois toda formosa, ó Maria,
– **E o pecado original não vos manchou.**
Vós sois a glória de Jerusalém.
– **Vós sois a alegria de Israel.**
Vós sois a honra do nosso povo.
– **Vós sois a advogada dos pecadores.**

Ó Maria.
- **Ó Maria.**
Virgem prudentíssima.
- **Mãe clementíssima.**
Rogai por nós.
- **Intercedei por nós junto a Nosso Senhor Jesus Cristo.**
Na vossa Conceição, ó Virgem Maria, fostes Imaculada.
- **Rogai por nós ao Pai, cujo Filho gerastes.**

Oremos: Ó Deus, que pela Imaculada Conceição da Virgem preparastes ao vosso Filho uma digna morada, nós vos rogamos que, tendo-a preservado de toda mancha na previsão da morte do vosso mesmo Filho, nos concedais pela sua intercessão a graça de chegarmos até Vós, também purificados de todo pecado. Por Cristo nosso Senhor. Amém.

SALVE-RAINHA

Salve, Rainha, Mãe de misericórdia, vida, doçura, esperança nossa, salve! A vós bradamos os degredados filhos de Eva. A vós suspiramos, gemendo e chorando neste vale de lágrimas. Eia, pois, advogada nossa, esses vossos olhos misericordiosos a nós volvei, e depois deste desterro mostrai-nos Jesus, bendito fruto do vosso ventre, ó clemente, ó piedosa, ó doce sempre Virgem Maria.

CONSAGRAÇÃO A NOSSA SENHORA

Ó Senhora minha, ó minha Mãe, eu me ofereço todo a vós e, em prova de minha devoção para convosco, vos consagro neste dia os meus olhos, os meus ouvidos, a minha boca, o meu coração e inteiramente todo o meu ser. E porque assim sou vosso, ó incomparável Mãe, guardai-me, defendei-me como coisa e propriedade vossa. Amém.

LEMBRAI-VOS

Lembrai-vos, ó piíssima Virgem Maria, que nunca se ouviu dizer que algum daqueles que recorreram à vossa proteção, imploraram o vosso auxílio, fosse por vós desamparado. Animado eu, pois, com igual confiança, a vós, Virgem, entre todas singular, como a uma mãe recorro, de vós me valho, e, gemendo sob o peso dos meus pecados, prostro-me aos vossos pés. Não rejeiteis as minhas súplicas, Mãe do Filho de Deus humanado, mas dignai-vos de as ouvir propícia e de me alcançar o que vos rogo. Amém.

À VOSSA PROTEÇÃO

À vossa proteção recorremos, Santa Mãe de Deus. Não desprezeis as nossas súplicas em nossas necessidades, mas livrai-nos sempre de todos os perigos, ó Virgem gloriosa e bendita, Senhora nossa, Advogada nossa; reconciliai-nos com vosso Filho, recomendai-nos a vosso Filho, apresentai-nos a vosso Filho. Amém.

CONSAGRAÇÃO AO IMACULADO CORAÇÃO DE MARIA

Ó Coração Imaculado de Maria, cheio de bondade, mostra o teu amor para conosco. A chama do teu coração, ó Maria, se acenda em todos os seres humanos. Nós te amamos imensamente. Imprime em nossos corações o verdadeiro amor de forma a termos um contínuo desejo de ti. Ó Maria, mansa e humilde de coração, lembra-te de nós quando estamos em pecado. Tu sabes que todos os seres humanos pecam. Dá-nos, por meio do teu Coração Imaculado, sermos curados de toda enfermidade espiritual. Faze que sempre possamos contemplar a bondade do teu coração materno e nos convertamos por meio da chama do teu coração. Amém.

ORAÇÃO A NOSSA SENHORA APARECIDA

– Ó incomparável Senhora da Conceição Aparecida. Mãe de meu Deus, rainha dos anjos, advogada dos pecadores, refúgio e consolação dos aflitos e atribulados, ó Virgem Santíssima, cheia de poder e bondade, lançai sobre nós um olhar favorável, para que sejamos socorridos em todas as necessidades.

– Lembrai-vos, clementíssima Mãe Aparecida, que não consta que de todos os que têm a vós recorrido, invocado vosso santíssimo nome e implorado vossa singular proteção, fosse por vós alguém abandonado.

– Animado com esta confiança a vós recorro: tomo-vos de hoje para sempre por minha mãe, minha consoladora e guia, minha esperança e minha luz na hora da morte.

– Assim, pois, Senhora, livrai-me de tudo o que possa ofender-vos e a vosso Filho, meu Redentor e Senhor Jesus Cristo.

– Virgem bendita, preservai este vosso indigno servo, esta casa e seus habitantes, da peste, fome, guerra, raios, tempestades e outros perigos e males que nos possam flagelar. Soberana Senhora, dignai-vos dirigir-nos em todos os negócios espirituais e temporais; livrai-nos da tentação do demônio, para que, trilhando o caminho da virtude, pelos merecimentos da vossa puríssima virgindade e do preciosíssimo sangue de vosso filho, vos possamos ver, amar, e gozar na eterna glória, por todos os séculos dos séculos. Amém.

Orações a São José

ORAÇÃO A SÃO JOSÉ

Lembrai-vos, São José, puríssimo esposo da Virgem Maria, que jamais se ouviu dizer que alguém tivesse invocado a vossa proteção e implorado o vosso socorro e não fosse por vós consolado. Com esta confiança venho à vossa presença e a vós, fervorosamente, me recomendo. Não desprezeis as minhas súplicas, pai adotivo do Redentor, mas dignai-vos de as acolher piedosamente. Amém!

ORAÇÃO A SÃO JOSÉ OPERÁRIO

Glorioso São José, modelo de todos os que se dedicam ao trabalho, obtende-me a graça de trabalhar com espírito de penitência para expiação de meus numerosos pecados; de trabalhar com consciência, pondo o culto do dever acima das minhas inclinações; de trabalhar com recolhimento e alegria, olhando como uma honra empregar, e desenvolver, pelo trabalho, os dons recebidos de Deus; de trabalhar com ordem, paz, moderação e paciência, sem nunca recuar perante o cansaço e as dificuldades; de trabalhar, sobretudo com pureza de intenção e com desapego de mim mesmo, tendo sempre diante dos olhos a morte e a conta que deverei dar do tempo perdido, dos talentos inutilizados, do bem omitido e da vã complacência no sucesso, tão funesta à obra de Deus.

Tudo para Jesus, tudo por Maria, tudo à vossa imitação, ó patriarca São José! Tal será a minha divisa na vida e na morte. Amém.

LADAINHAS

LADAINHA DO SAGRADO CORAÇÃO DE JESUS

Senhor, tende piedade de nós.
Jesus Cristo, tende piedade de nós.
Senhor, tende piedade de nós.

Jesus Cristo, ouvi-nos.
Jesus Cristo, atendei-nos.

Deus Pai dos céus, **tende piedade de nós**.
Deus Filho, Redentor do mundo,
Deus Espírito Santo,
Santíssima Trindade, que sois um só Deus,

Coração de Jesus, Filho do Pai Eterno,
Coração de Jesus, formado pelo Espírito Santo no seio da Virgem Maria,
Coração de Jesus, unido substancialmente ao Verbo de Deus,
Coração de Jesus, de majestade infinita,
Coração de Jesus, templo santo de Deus,
Coração de Jesus, tabernáculo do Altíssimo,

Coração de Jesus, casa de Deus e porta do céu,
Coração de Jesus, fornalha ardente de caridade,
Coração de Jesus, receptáculo de justiça e de amor,
Coração de Jesus, cheio de bondade e de amor,
Coração de Jesus, abismo de todas as virtudes,
Coração de Jesus, digníssimo de todo o louvor,
Coração de Jesus, rei e centro de todos os corações,
Coração de Jesus, em que se encerram todos os tesouros da sabedoria e ciência,
Coração de Jesus, onde habita toda a plenitude da divindade,
Coração de Jesus, em que o Pai pôs toda a sua complacência,
Coração de Jesus, de cuja plenitude todos nós recebemos,
Coração de Jesus, o desejado das colinas eternas,
Coração de Jesus, paciente e de muita misericórdia,
Coração de Jesus, riquíssimo para todos que vos invocam,
Coração de Jesus, fonte de vida e santidade,
Coração de Jesus, propiciação por nossos pecados,
Coração de Jesus, saturado de opróbrios,
Coração de Jesus, triturado de dor por causa de nossos crimes,
Coração de Jesus, obediente até à morte,
Coração de Jesus, transpassado pela lança,
Coração de Jesus, fonte de toda a consolação,
Coração de Jesus, nossa vida e ressurreição,
Coração de Jesus, nossa paz e reconciliação,
Coração de Jesus, vítima dos pecadores,
Coração de Jesus, salvação dos que esperam em Vós,
Coração de Jesus, esperança dos que morrem em Vós,
Coração de Jesus, delícia de todos os santos,

Cordeiro de Deus, que tirais o pecado do mundo, **perdoai-nos, Senhor.**
Cordeiro de Deus, que tirais o pecado do mundo, **ouvi-nos, Senhor.**
Cordeiro de Deus, que tirais o pecado do mundo, **tende piedade de nós.**

Jesus, manso e humilde de coração,
– Fazei nosso coração semelhante ao vosso.

Oremos: Deus onipotente e eterno, olhai para o Coração de vosso Filho diletíssimo e para os louvores e as satisfações que Ele, em nome dos pecadores, vos tributa; e aos que imploram a vossa misericórdia concedei benigno o perdão em nome do vosso mesmo Filho Jesus Cristo, que convosco vive e reina pelos séculos dos séculos. Amém.

LADAINHA DE NOSSA SENHORA

Senhor, tende piedade de nós.
Jesus Cristo, tende piedade de nós.
Senhor, tende piedade de nós.

Jesus Cristo, ouvi-nos.
Jesus Cristo, atendei-nos.

Deus Pai dos céus, **tende piedade de nós.**
Deus Filho, Redentor do mundo,
Deus Espírito Santo,
Santíssima Trindade, que sois um só Deus,

Santa Maria, **rogai por nós.**
Santa Mãe de Deus,
Santa Virgem das virgens,
Mãe de Jesus Cristo,
Mãe da Igreja,
Mãe da misericórdia,
Mãe da divina graça,
Mãe da esperança,
Mãe puríssima,
Mãe castíssima,
Mãe imaculada,
Mãe intacta,
Mãe amável,
Mãe admirável,
Mãe do bom conselho,
Mãe do Criador,
Mãe do Salvador,
Virgem prudentíssima,
Virgem venerável,
Virgem louvável,
Virgem poderosa,
Virgem benigna,
Virgem fiel,
Espelho de justiça,
Sede da sabedoria,
Causa de nossa alegria,
Vaso espiritual,
Vaso honorífico,
Vaso insigne de devoção,
Rosa mística,
Torre de Davi,
Torre de marfim,
Casa de ouro,

Arca da aliança,
Porta do céu,
Estrela da manhã,
Saúde dos enfermos,
Refúgio dos pecadores,
Conforto dos migrantes,
Consoladora dos aflitos,
Auxílio dos cristãos,
Rainha dos anjos,
Rainha dos patriarcas,
Rainha dos profetas,
Rainha dos apóstolos,
Rainha dos mártires,
Rainha dos confessores,
Rainha das virgens,
Rainha de todos os santos,
Rainha concebida sem pecado original,
Rainha assunta ao céu,
Rainha do Santo Rosário,
Rainha da paz,

Cordeiro de Deus, que tirais o pecado do mundo, **perdoai-nos, Senhor.**
Cordeiro de Deus, que tirais o pecado do mundo, **ouvi-nos, Senhor.**
Cordeiro de Deus, que tirais o pecado do mundo, **tende piedade de nós.**

Rogai por nós, Santa Mãe de Deus.
– Para que sejamos dignos das promessas de Cristo.
Oremos: Senhor Deus, nós vos suplicamos que concedais a vossos servos perpétua saúde de alma e corpo; e que pela glo-

riosa intercessão da bem-aventurada sempre Virgem Maria sejamos livres da presente tristeza e gozemos da eterna alegria. Por Cristo nosso Senhor. Amém.

LADAINHA DE TODOS OS SANTOS

Senhor, tende piedade de nós.
Jesus Cristo, tende piedade de nós.
Senhor, tende piedade de nós.

Jesus Cristo, ouvi-nos.
Jesus Cristo, atendei-nos.

Deus Pai dos céus, **tende piedade de nós**.
Deus Filho, Redentor do mundo,
Deus Espírito Santo,
Santíssima Trindade, que sois um só Deus,

Santa Maria, **rogai por nós.**
Santa Mãe de Deus,
Santa Virgem das virgens,
São Miguel, São Gabriel e São Rafael,
Todos os santos anjos,

Santo Abraão,
São Moisés,
Santo Elias,

São José,
São João Batista,
Todos os santos patriarcas e profetas,

São Pedro e São Paulo,
Santo André,
São João e São Tiago,
São Tomé,
São Mateus,
Todos os santos apóstolos,

São Lucas,
São Marcos,
São Barnabé,
Santa Maria Madalena,
Todos os santos discípulos do Senhor,

Santo Estêvão,
Santo Inácio de Antioquia,
São Policarpo,
São Justino,
São Lourenço,
São Cipriano,
São Bonifácio,
São Tomás Becket,
São João Fischer e São Tomás More,
São Paulo Miki,
Santo Isaque Jogues e São João Brébeuf,
São Pedro Chanel,
São Carlos Luanga,

Santa Perpétua e Santa Felicidade,
Santa Inês,
Santa Maria Goretti,
Todos os santos mártires,

São Leão e São Gregório,
Santo Ambrósio,
São Jerônimo,
Santo Agostinho,
Santo Atanásio,
São Basílio e São Gregório Nazianzeno,
São João Crisóstomo,
Santa Martinha,
São Patrício,
São Cirilo e São Metódio,
São Carlos Borromeu,
São Francisco de Sales,
São Pio X,

Santo Antão,
São Bento,
São Bernardo,
São Francisco e São Domingos,
Santa Clara de Assis
Santo Antônio de Pádua,
Santo Tomás de Aquino,
Santo Inácio de Loyola,
São Francisco Xavier,
São Vicente de Paulo,
São João Maria Vianney,

São João Bosco,
Santa Catarina de Sena,
Santa Teresa d'Ávila,
Santa Rosa de Lima,
Santo Antônio de Sant'Ana Galvão,

São Luís,
Santa Mônica,
Santa Isabel da Hungria,
Todos os santos e santas de Deus,

Ó Deus, sede-nos propício; **livrai-nos, Senhor.**
De todo mal,
De todo pecado,
Das insídias do demônio,
Da ira, do ódio e de toda má vontade,
Da morte perpétua,
Pela vossa encarnação,
Pelo vosso nascimento,
Pelo vosso santo batismo e pelo vosso santo jejum,
Pela vossa cruz e pela vossa paixão,
Pela vossa morte e pela vossa sepultura,
Pela vossa santa ressurreição,
Pela vossa admirável ascensão,
Pela efusão do Espírito Santo,
Pelo vosso glorioso advento.

Para que nos perdoeis, **nós vos rogamos, ouvi-nos.**
Para que vos digneis nos conduzir a uma verdadeira penitência,
Para que vos digneis confortar-nos e conservar-nos em vosso santo serviço,

Para que vos digneis retribuir nossos benfeitores com os bens eternos,
Para que vos digneis dar e conservar os frutos da terra.

Para que vos digneis governar e conservar a vossa santa Igreja, **nós vos pedimos, ouvi-nos.**
Para que vos digneis conservar na santa religião o sumo pontífice e todas as ordens da hierarquia eclesiástica,
Para que vos digneis dilatar a unidade entre todos aqueles que creem em Cristo,
Para que vos digneis fazer com que todos os homens sejam atingidos pela luz do Evangelho,

Cristo, ouvi-nos.
Cristo, atendei-nos.

Oremos: Ó Deus, nosso refúgio e nossa força, Autor, Vós mesmo, da piedade, atendei às devotas súplicas da vossa Igreja e fazei que consigamos o que vos pedimos com firme confiança. Por Nosso Senhor Jesus Cristo, na unidade do Espírito Santo. Amém.

VIA-SACRA

1ª ESTAÇÃO: JESUS É CONDENADO À MORTE

Jesus, que se deixa condenar para que não sejamos condenados, deve assumir o pânico de todos os condenados, neste momento: os condenados da doença, da miséria, da justiça e da injustiça. Os condenados da desventura, da solidão, do sofrimento e do desespero.

– Perdoai-nos, Senhor, todas as vezes que vos condenamos no nosso semelhante, assim como nós perdoamos os condenados do nosso egoísmo, os condenados do nosso ressentimento e os condenados de nossas omissões.

– O que fizerdes ao menor de meus irmãos é a mim que o fareis.

2ª ESTAÇÃO: JESUS TOMA A CRUZ AOS OMBROS

A cruz para nós é símbolo de redenção. Mas para Cristo ela pesou sobre os ombros cansados, doridos, flagelados. Para nós, não raro, a dor e o sofrimento do mundo são apenas o tema de peças oratórias, quando deveriam nos incitar a também encostar os ombros ao peso que abate os homens.

– Fazei-nos ouvir, Senhor, o imenso gemido abafado de um mundo que sofre todas as formas do sofrimento, o gemido dos doentes, dos pobres, dos operários explorados e dos ricos infelizes.

– Tive fome e não me destes de comer; tive sede e não me destes de beber, carreguei a cruz e não me viestes ajudar.

3ª ESTAÇÃO: JESUS CAI PELA PRIMEIRA VEZ

Se Jesus está presente e faminto no sedento, no prisioneiro, também está presente naquele que caiu. Caí e não me ajudaste a levantar. Jesus, o divino estrangeiro entre os homens, caído entre ladrões, nos pergunta: E vós, quem dizeis que eu sou?
– Dai-me, Senhor, o coração do bom samaritano quando encontrar alguém caído no meu caminho.
– Quem nunca caiu, lance a primeira pedra.

4ª ESTAÇÃO: JESUS ENCONTRA SUA AFLITA MÃE

O encontro, na dor, é mais encontro. Quantos desencontros não há na alegria! Quanta ilusão de encontro que a dor revela! O melhor teste do encontro é o sofrimento. Mas há muitos que fogem. Fogem, esperando ser procurados.
– Peço-vos, Senhor, encontrar-vos e ser encontrado no sofrimento alheio ou no próprio sofrimento.
– O Bom Pastor sai à procura da ovelha perdida. Encontra-a e coloca-a aos ombros.

5ª ESTAÇÃO: SIMÃO CIRENEU AJUDA JESUS A LEVAR A CRUZ

Era um estranho, forçado a carregar a cruz de um outro estranho. Forçado a um pobre gesto de solidariedade humana; gesto tão pobre que não foi espontâneo. Gesto arrancado, gesto do medo, de um medo humilde e humilhante.

– O gesto da viúva, embora depositasse uma pobre esmola, foi anotado no livro da história da salvação, porque era rico em generosidade. Que o gesto do Cireneu me ensine, Senhor, a viver o mistério dos gestos pequeninos, da generosa solidariedade.
– Os outros deram do que lhes sobrava; esta tirou do que necessitava.

6ª ESTAÇÃO: VERÔNICA ENXUGA O ROSTO DE JESUS

O gesto de Verônica foi silencioso. A retribuição de Jesus também foi silenciosa. É nos pequenos gestos silenciosos que está impressa a imagem de Deus sob a forma de amor. Porque sabemos que Deus é amor e onde há amor, aí está Deus. É no bem que não faz alarde que Jesus imprime o seu rosto.
– **Fazei-me, Senhor, descobrir que os gestos da compaixão humana imprimem sempre a vossa imagem em meu coração.**
– Não saiba a vossa mão direita o que faz a esquerda, porque o vosso Pai, que ouve o vosso silêncio, também vos recompensará.

7ª ESTAÇÃO: JESUS CAI PELA SEGUNDA VEZ

Não é fácil crer que Deus esteja presente e atuante num mundo em que há quedas e dores, num mundo devastado pelo mal. Se é verdade que Cristo veio nos libertar do mal, o verdadeiro mal não está na dor e no sofrimento, mas no pecado.
– **Dai-nos fé, Senhor, para não ver sinais de maldade na pobreza e na miséria de meus irmãos, mas, antes, sinais de vossa presença redentora.**
– Quem vos despreza a mim despreza.

8ª ESTAÇÃO: JESUS CONSOLA AS MULHERES DE JERUSALÉM

Nos nossos caminhos não encontraremos Jesus sofrendo em pessoa, para sobre Ele chorar, mas encontraremos o nosso sofrimento e o sofrimento dos nossos filhos. É deste sofrimento que nós nos devemos ocupar para chorar com Jesus.
– **Fazei-me compreender, Senhor, que o amor por Vós passa pela pessoa.**
– Se não amas ao próximo que vês, como poderás amar a Deus que não vês?

9ª ESTAÇÃO: JESUS CAI PELA TERCEIRA VEZ

A terceira queda de Cristo nos lembra a queda de pessoas que parecem não poder deixar de cair. São as pessoas que estão em decadência. Com quanta facilidade, Senhor, desprezamos os que caem e recaem e tornam a cair. Como é difícil, Senhor, não cobrar algum preço pelo nosso perdão.
– **Fazei-me compreender, Senhor, que os irremediavelmente perdidos são os que não querem mais se levantar, como também aqueles que não estendem a mão aos decaídos.**
– "Quantas vezes devemos perdoar?", perguntou São Pedro. Jesus lhe respondeu: "Não te digo 7 vezes, mas 70 vezes 7".

10ª ESTAÇÃO: JESUS É DESPOJADO DE SUAS VESTES

Jesus está coberto apenas com as marcas das quedas, os sinais dos açoites, o sangue, o suor, a poeira e os escarros. Nos tecidos rasgados que vestem os miseráveis, na sujeira que lhes tira o esplendor das formas do rosto é que ainda hoje se conserva a infamante nudez forçada do Salvador.

– Tirai de mim, Senhor, as vestes de orgulho e vaidade, para que também nós possamos ver-vos no pobre e indigente.
– Estive fome e me vestiste.

11ª ESTAÇÃO: JESUS É PREGADO NA CRUZ

A partir desta hora a cruz não está só. Cristo está com a cruz e a cruz está com Cristo. A partir desta hora, também, Senhor, nas pequenas cruzes de nosso viver, temos a certeza de que também Vós estais aí.
– **Concedei-nos, Senhor, nunca separar-vos de qualquer sofrimento que a vossa providência nos destinou.**
– Quem quiser ser discípulo de Cristo, tome a sua cruz e siga-o.

12ª ESTAÇÃO: JESUS MORRE NA CRUZ

Quem não ama o seu irmão comete homicídio.
– **Perdoai-nos, Senhor, as nossas faltas de amor.**
(Momento de silêncio)

13ª ESTAÇÃO: JESUS É DESCIDO DA CRUZ

A súbita coragem de um tímido discípulo, que outrora, encoberto pela noite, procura Jesus, vem agora procurá-lo à luz do dia. Mas era tarde, Jesus já havia morrido.
– **Senhor, fazei-nos corajosos para sermos vossas testemunhas à luz do dia, para que não aconteça que vos procuremos quando já tarde demais.**
– Mais tarde chegaram também as outras virgens e disseram: Senhor, abri-nos. E Ele respondeu: Em verdade vos digo, não vos conheço.

14ª ESTAÇÃO: JESUS É SEPULTADO

Este é o momento da grande tentação do desespero e da desilusão. É a hora que pareceu dar razão aos inimigos de Jesus, aos que lhe pediam um prodígio, aos que desafiavam o seu poder divino e blasfemavam. Ei-lo morto e sepultado.
— **Fazei-nos compreender a importância da morte, a importância da abnegação para ressurgir para a vida definitiva.**
— Eu sou a ressurreição e a vida. Quem crer em mim não permanece na morte.

15ª ESTAÇÃO: JESUS RESSUSCITA PARA A VIDA ETERNA

No domingo de madrugada as mulheres foram ao túmulo e viram que estava vazio. Dois homens com vestes claras e brilhantes lhes perguntaram: "Por que procuram entre os mortos quem está vivo? Ele não está aqui, mas ressuscitou".
— Nós vos adoramos, ó Cristo, e vos bendizemos,
— **Porque pela vossa santa cruz remistes o mundo.**

ORAÇÃO FINAL

Nós te glorificamos, Senhor Jesus.
Tu te abaixaste, para nos salvar.
Tu te humilhaste, para nos exaltar.
Tu te fizeste pobre, para nos enriquecer.
Homem nasceste, para que pudéssemos nascer.
Jejuaste, Senhor, e mataste nossa fome.
Prisioneiro te fizeste, e nos libertaste.
Foste julgado criminoso, e nos deste a inocência.
A ti as bofetadas, a nós o teu carinho.
Despojamos-te das vestes, e nos revestiste de graça.
Nós te crucificamos, e Tu nos salvaste.
A ti o fel e o vinagre, a nós o teu amor.
A ti a morte, a nós a vida.
Mas ressuscitaste para repartir conosco tua glória.
Subindo ao céu, para o alto nos atrais.
Enviaste o Paráclito à Igreja, para que sejamos santos. Amém.

COMO REZAR O TERÇO

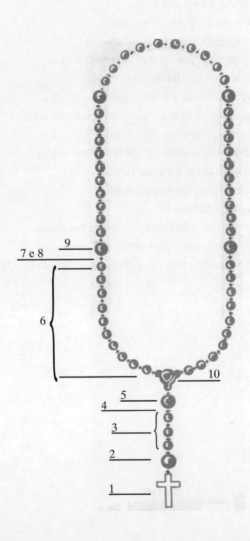

O SANTO ROSÁRIO

O rosário é uma forma de oração vocal e mental sobre os mistérios de nossa redenção, dividido entre 20 dezenas. A recitação de cada dezena é acompanhada pela meditação de um dos 20 eventos ou "mistérios".

COMO SE REZA O ROSÁRIO

1) Faça o sinal da cruz e reze o Creio.
2) Oração inicial e o Pai-nosso.
3) Reze três Ave-Marias.
4) Reze o Glória-ao-Pai.
5) Anuncie o primeiro mistério e reze o Pai-nosso.
6) Reze dez Ave-Marias enquanto medita o mistério.
7) Reze o Glória-ao-Pai.
8) Depois de cada dezena, reze a oração seguinte como nos pediu a Virgem em Fátima: "Ó meu Bom Jesus, perdoai-nos, livrai-nos do fogo do inferno, levai as almas todas para o céu, e socorrei principalmente as que mais precisarem".

9) Anuncie o segundo mistério. Depois reze o Pai-nosso. Repita os números 6, 7 e 8 (cf. acima). Continue com o terceiro, o quarto e o quinto mistérios da mesma forma, até terminar.
10) Reze a Salve-rainha depois de terminar as cinco dezenas.
Nota: De modo geral, rezam-se os Mistérios Gozosos às segundas e sábados, os Mistérios Luminosos às quintas-feiras, os Mistérios Dolorosos às terças e sextas-feiras e os Mistérios Gloriosos às quartas-feiras e domingos.

ORAÇÃO INICIAL

Senhor Jesus, disponho-me a rezar agora os mistérios do terço/rosário. Pela meditação dos mistérios da nossa redenção espero poder aumentar minha fé e minha caridade. Concedei-me uma piedosa e recolhida oração pela intercessão de vossa Mãe Santíssima.

MISTÉRIOS GOZOSOS (segundas-feiras e sábados)
1º) No primeiro mistério contemplamos como a Virgem Maria foi saudada pelo anjo e lhe foi anunciado que havia de conceber e dar à luz Cristo, nosso Redentor (Lc 1,26-38).
Pai-nosso, 10 Ave-Marias, Glória-ao-Pai.

2º) No segundo mistério contemplamos como a Virgem Maria foi visitar sua prima Isabel e ficou com ela três meses (Lc 1,39-56).
Pai-nosso, 10 Ave-Marias, Glória-ao-Pai.

3º) No terceiro mistério contemplamos o nascimento de Jesus em Belém e, como por não achar lugar na estalagem da cidade, Maria colocou-o numa manjedoura (Lc 2,1-15).
Pai-nosso, 10 Ave-Marias, Glória-ao-Pai.

4º) No quarto mistério contemplamos a apresentação de Jesus no templo, onde estava o velho Simeão, que, tomando-o em seus braços, louvou e deu muitas graças a Deus (Lc 2,22-32).
Pai-nosso, 10 Ave-Marias, Glória-ao-Pai.

5º) No quinto mistério contemplamos Jesus encontrado no templo entre os doutores (Lc 2,42-52).
Pai-nosso, 10 Ave-Marias, Glória-ao-Pai.

MISTÉRIOS LUMINOSOS (quintas-feiras)
1º) No primeiro mistério contemplamos o batismo de Jesus no Rio Jordão (Mt 3,13-17).
Pai-nosso, 10 Ave-Marias, Glória-ao-Pai.

2º) No segundo mistério contemplamos a autorrevelação de Jesus nas Bodas de Caná da Galileia (Jo 2,1-11).
Pai-nosso, 10 Ave-Marias, Glória-ao-Pai.

3º) No terceiro mistério contemplamos o anúncio do Reino de Deus por Jesus e seu convite à conversão (Mc 1,14-15).
Pai-nosso, 10 Ave-Marias, Glória-ao-Pai.

4º) No quarto mistério contemplamos a transfiguração de Jesus no Monte Tabor (Lc 9,28-35).
Pai-nosso, 10 Ave-Marias, Glória-ao-Pai.

5º) No quinto mistério contemplamos a instituição da Eucaristia como expressão sacramental do mistério pascal (Mc 14,22-24; Lc 22,14-20).
Pai-nosso, 10 Ave-Marias, Glória-ao-Pai.

MISTÉRIOS DOLOROSOS (terças e sextas-feiras)
1º) No primeiro mistério contemplamos a agonia mortal de Jesus no horto (Mc 14,32-42).
Pai-nosso, 10 Ave-Marias, Glória-ao-Pai.

2º) No segundo mistério contemplamos como Jesus foi cruelmente açoitado e flagelado na casa de Pilatos (Mt 27,26; Jo 19,1).
Pai-nosso, 10 Ave-Marias, Glória-ao-Pai.

3º) No terceiro mistério contemplamos como Jesus foi coroado de agudos espinhos por seus algozes (Mt 27,27-30).
Pai-nosso, 10 Ave-Marias, Glória-ao-Pai.

4º) No quarto mistério contemplamos como Jesus, sendo condenado à morte, carregou com grande paciência a cruz que lhe puseram nos ombros (Jo 19,17).
Pai-nosso, 10 Ave-Marias, Glória-ao-Pai.

5º) No quinto mistério contemplamos a crucificação e morte de Jesus no alto do Calvário (Lc 23,33-46).
Pai-nosso, 10 Ave-Marias, Glória-ao-Pai.

MISTÉRIOS GLORIOSOS (quartas-feiras e domingos)
1º) No primeiro mistério contemplamos a ressurreição triunfante de Jesus (Mc 16,1-7).
Pai-nosso, 10 Ave-Marias, Glória-ao-Pai.

2º) No segundo mistério contemplamos a ascensão de Jesus aos céus (At 1,6-11).
Pai-nosso, 10 Ave-Marias, Glória-ao-Pai.

3º) No terceiro mistério contemplamos a vinda do Espírito Santo sobre os apóstolos (At 2,1-4).
Pai-nosso, 10 Ave-Marias, Glória-ao-Pai.

4º) No quarto mistério contemplamos a assunção de Maria aos céus (cf. 1Cor 15,20-23.53-55).
Pai-nosso, 10 Ave-Marias, Glória-ao-Pai.

5º) No quinto mistério contemplamos a coroação de Maria Santíssima como Rainha e Senhora dos céus e da terra (cf. Lc 1,46-55; Ap 12,1-18).
Pai-nosso, 10 Ave-Marias, Glória-ao-Pai.

ORAÇÃO FINAL

Infinitas graças vos damos, soberana rainha, pelos benefícios que todos os dias recebemos de vossas mãos liberais. Dignai-vos, agora e sempre, tomar-nos debaixo de vosso poderoso amparo e, para mais vos obrigar, vos saudamos: Salve, Rainha... (cf. p. 25).

Orações da manhã e da noite

ORAÇÃO DA MANHÃ

Senhor! No silêncio deste dia que amanhece, venho pedir-te a paz, a sabedoria e a força. Quero olhar hoje o mundo com os olhos cheios de amor; ser paciente e compreensivo, manso e prudente. Quero ver os meus irmãos além das aparências, quero vê-los como Tu mesmo os vês, e assim não ver senão o bem em cada um. Cerra meus ouvidos a toda a calúnia. Guarda minha língua de toda a maldade. Que só de bênçãos se encha meu espírito. Que eu seja tão bondoso e alegre, que todos quantos se achegarem a mim sintam tua presença. Reveste-me de tua beleza, Senhor, e que no decurso deste dia eu te revele a todos. Amém.

ORAÇÃO DA NOITE

Boa noite, Pai. Termina o dia, e a ti entrego meu cansaço. Obrigado por tudo e... perdão. Obrigado pela esperança que hoje animou meus passos, pela alegria que vi no rosto das crianças. Obrigado pelo exemplo que recebi dos outros. Obrigado também pelo que me fez sofrer... Obrigado porque naquele momento de desânimo me lembrei de que Tu és meu Pai. Obrigado pela luz, pela noite, pela brisa, pela comida, pelo meu desejo de superação. Obrigado, Pai, porque me deste uma Mãe, compreensiva e carinhosa. Perdão, também, Senhor. Perdão por meu rosto carrancudo. Perdão porque me esqueci de que não sou filho único, mas irmão de muitos. Perdão, Pai, pela falta de colaboração, pela ausência do espírito de servir. Perdão porque não evitei aquela lágrima, aquele desgosto. Perdão por ter aprisionado em mim a tua mensagem de amor. Perdão porque não estive disposto a dizer "sim", como Maria. Perdão por aqueles que deveriam pedir-te perdão e não se decidem a fazê-lo. Perdoa-me, Pai, e abençoa meus propósitos para o dia de amanhã. Que ao despertar me domine um novo entusiasmo. Que o dia de amanhã seja um contínuo "sim" numa vida consciente. Boa noite, Pai, até amanhã.

SAUDAÇÃO DO DIA

Deus vos salve, luz do dia,
Deus vos salve, quem vos cria,
Deus vos salve, meu Jesus,
Filho da Virgem Maria.

Quando vem rompendo a aurora,
No amanhecer do dia,
Me encomendo a Jesus Cristo,
Filho da Virgem Maria.

AO DEITAR

Com Deus me deito,
Com Deus me levanto,
Com a graça de Deus
E do divino Espírito Santo.

Nossa Senhora me cubra com seu manto,
Ó Senhor, meu Jesus Cristo,
Filho da Virgem Maria,
Me acompanha esta noite,
Amanhã e todo dia.

Orações para as Refeições

ORAÇÃO PARA ANTES DAS REFEIÇÕES

Abençoai, † Senhor, a nós e a estes alimentos que de vossa bondade recebemos, e dignai-vos conduzir-nos à mesa celestial. Por Cristo, nosso Senhor. Amém.

ORAÇÃO PARA DEPOIS DAS REFEIÇÕES

Graças vos damos, Deus onipotente, por todos os benefícios de Vós recebidos e por estes alimentos, que sirvam para nos sustentar em vosso serviço. Glória a Deus, paz aos vivos, descanso eterno aos falecidos. E Vós, Senhor, tende compaixão de nós. Graças a Deus.

Orações Diversas

ORAÇÃO DIANTE DO CRUCIFIXO

Ó glorioso Deus altíssimo, iluminai as trevas do meu coração, concedei-me uma fé verdadeira, uma esperança firme e um amor perfeito. Dai-me, Senhor, o reto sentir e conhecer, a fim de que possa cumprir o sagrado encargo que na verdade acabais de dar-me. Amém.

São Francisco de Assis

INVOCAÇÕES A NOSSO SENHOR JESUS CRISTO

Alma de Cristo, santificai-me.
Corpo de Cristo, salvai-me.
Sangue de Cristo, inebriai-me.
Água do lado de Cristo, lavai-me.
Paixão de Cristo, confortai-me.
Ó bom Jesus, ouvi-me.
Dentro de vossas chagas, escondei-me.

Não permitais que eu me separe de Vós.
Do espírito maligno, defendei-me.
Na hora da morte, chamai-me.
E mandai-me ir para Vós, para que, com os vossos santos, vos louve.
Por todos os séculos dos séculos. Amém.

BENDITO SEJA DEUS

Bendito seja Deus.
Bendito seja seu santo nome.
Bendito seja Jesus Cristo, verdadeiro Deus e verdadeiro homem.
Bendito seja o nome de Jesus.
Bendito seja o seu sacratíssimo coração.
Bendito seja Jesus no Santíssimo Sacramento do altar.
Bendita seja a grande Mãe de Deus, Maria Santíssima.
Bendita seja sua santa e imaculada Conceição.
Bendita seja sua gloriosa assunção.
Bendito seja o nome de Maria, virgem e mãe.
Bendito seja São José, seu castíssimo esposo.
Bendito seja Deus, nos seus anjos e nos seus santos.

ORAÇÃO AO SAGRADO CORAÇÃO DE JESUS

Lembrai-vos, ó dulcíssimo Jesus, que nunca se ouviu dizer que alguém, recorrendo com confiança ao vosso Sagrado Coração, implorando a vossa divina assistência e reclamando a vossa infinita misericórdia, fosse por Vós abandonado. Possuído, pois, e animado da mesma confiança, ó Sagrado Coração de Jesus, rei de todos os corações, recorro a Vós, e me prostro diante de Vós. Meu Jesus, pelo vosso precioso sangue e pelo amor de vosso divino coração, peço-vos: não desprezeis as minhas súplicas, mas ouvi-as favoravelmente e dignai-vos atender-me. Amém.

ORAÇÃO DA PAZ – I

Senhor, Deus da paz, Tu que criaste os homens para serem herdeiros de tua glória, nós te bendizemos e te agradecemos, porque nos enviaste Jesus, teu Filho bem-amado. Tu fizeste dele, no mistério de sua Páscoa, o realizador de nossa salvação, a fonte de toda paz, o laço de toda a fraternidade. Agradecemos pelos desejos, pelos esforços e realizações que teu Espírito de paz suscitou em nossos dias, para substituir o ódio pelo amor, a desconfiança pela compreensão, a indiferença pela solidariedade. Abre mais ainda nossos espíritos e nossos corações para as exigências concretas do amor de todos os nossos irmãos, para que sejamos cada vez mais artífices da paz. Lembra-te, ó Pai, de todos os que lutam, sofrem e morrem para o nascimento de um mundo mais fraterno. Que para os homens de todas as raças e de todas as línguas venha teu reino de justiça, de paz e de amor. Amém.

Papa Paulo VI

ORAÇÃO DA PAZ – II

Senhor, fazei-me instrumento de vossa paz.
Onde houver ódio, que eu leve o amor.
Onde houver ofensa, que eu leve o perdão.
Onde houver discórdia, que eu leve a união.
Onde houver dúvidas, que eu leve a fé.
Onde houver erro, que eu leve a verdade.
Onde houver desespero, que eu leve a esperança.
Onde houver tristeza, que eu leve a alegria.
Onde houver trevas, que eu leve a luz.
Ó Mestre, fazei que eu procure mais consolar que ser consolado.
Compreender que ser compreendido.
Amar que ser amado.
Pois é dando que se recebe.
É perdoando que se é perdoado.
E é morrendo que se vive para a vida eterna. Amém!

Oração atribuída a São Francisco de Assis

BÊNÇÃO DA FAMÍLIA

Ó Deus bendito, nosso Pai, fazei que os moradores desta casa, por Vós concedida para habitação desta família, obtenham os dons do vosso Espírito, e manifestem com obras de caridade a graça de vossa † bênção, de modo que todos os que vivem nesta casa encontrem sempre aquele sentimento de paz e amor, que sabemos ter em Vós a única fonte. Por Cristo, nosso Senhor. Amém.

BÊNÇÃO DOS FILHOS

Pai santo, fonte inesgotável da vida e autor de todos os bens, nós vos bendizemos e vos damos graças, pois quisestes alegrar com o dom dos filhos a união do nosso amor. Concedei, nós vos pedimos, que este(a) jovem membro da família encontre seu caminho na sociedade familiar, onde possa desenvolver as melhores aspirações e chegar um dia, com a vossa ajuda, à meta final por Vós estabelecida. Por Cristo, nosso Senhor. Amém.

ORAÇÃO PELOS PAIS

Senhor, meu Deus, Vós quereis que eu respeite, ame e obedeça a meus queridos pais. Peço-vos que Vós mesmo me inspireis o respeito e a reverência que lhes devo e fazei que lhes seja filho amante e obediente. Recompensai-lhes todos os sacrifícios, trabalhos e cuidados, que por minha causa têm suportado e retribui-lhes todo o bem que me fizeram no corpo e na alma, pois eu por mim não posso pagar-lhes tudo isto. Conservai-lhes uma longa vida no gozo de perfeita saúde do corpo e da alma. Deixai-os participar da bênção copiosa que derramastes sobre os patriarcas. Fazei-os crescer na virtude e prosperar em tudo, que por vossa honra empenharem, a fim de que um dia tornemos a ver-nos no céu, para cantar os vossos louvores por todos os séculos dos séculos. Amém.

ORAÇÃO DOS JOVENS

Senhor, eu te agradeço a minha vontade de mudar as coisas. A minha insatisfação diante do que é medíocre, a minha ira diante da injustiça, o nó que sinto na garganta diante de uma história de amor, o carinho que sinto pelas crianças, o amor que, apesar de alguns desentendimentos, eu tenho pelos meus pais, e a coragem de ter sido suficientemente eu para não acompanhar a onda, nem experimentar os tóxicos, nem brincar com a minha dignidade de jovem cristão. Eu te peço uma coisa: grandeza interior para compreender meu povo, minha geração e a tua presença no meu caminho. Eu te ofereço minha juventude. Sei que é pouco, mas é meu modo de dizer que gosto da vida e pretendo vivê-la como um filho digno desse nome. Amém!

ORAÇÃO POR UM DOENTE – I

Senhor Jesus, aquele a quem amas está enfermo. Tu podes tudo. Peço-te humildemente que lhe restituas a saúde. Se forem, porém, outros os teus desígnios, peço-te que lhe concedas a graça de suportar cristãmente sua doença. Nos caminhos da Palestina tratavas os doentes com tamanha delicadeza, que todos acorriam a ti. Dá-me esta mesma doçura, esse tato que é tão difícil ter quando se tem saúde. Que eu saiba dominar meu nervosismo para não acabrunhar o doente; que eu saiba sacrificar uma parte de meus planos para acompanhá-lo, se este for seu desejo. Estou cheio de vida, Senhor, e te dou graças por isso. Faze que o sofrimento dos outros me santifique, formando-me na abnegação e na caridade. E que sempre, Senhor, se faça a tua santa vontade. Amém.

M.N. Veleda

ORAÇÃO POR UM DOENTE – II

Onipotente e benigníssimo Deus, que sois a salvação eterna de todos os que creem em Vós, escutai piedoso as orações que vos dirigimos por este nosso irmão enfermo, vosso servo. Afastai dele tudo quanto o aflige e fazei, em vossa misericórdia, que todos os remédios aplicados ao seu mal lhe sejam salutares. Em Vós, único autor e conservador da vida e árbitro supremo de nossa sorte, pomos toda a nossa confiança; e, embora nos esforcemos, por todos os meios possíveis, por lhe restabelecer a saúde, todavia é de Vós só que tudo esperamos. Ouvi, Senhor, nossas preces e as suas, para que alegres possamos com ele prestar-vos a homenagem de nosso reconhecimento.

O Senhor Jesus Cristo esteja
Do seu lado para defendê-lo,
Dentro de você para conservá-lo,
Diante de você para conduzi-lo,
Atrás de você para guardá-lo,
Acima de você para abençoá-lo,
Ele que vive e reina pelos séculos dos séculos. Amém.

ORAÇÃO PARA ANTES DE UMA VIAGEM

Senhor, todo-poderoso e Deus de misericórdia, guiai-nos pelo caminho da paz e prosperidade. Não permitais que nos encaminhemos a algum lugar em que possamos ofender-vos. Acompanhe-nos vosso santo anjo em nossa viagem, para que voltemos à nossa morada sãos e salvos, sem contratempo nem desgraça. Amém!

ADORAÇÃO AO SANTÍSSIMO SACRAMENTO

Nós vos adoramos, Santíssimo Senhor Jesus Cristo, aqui e em todas as igrejas do mundo inteiro, e vos bendizemos, porque pela vossa santa cruz remistes o mundo.

Informações básicas para o cristão católico

MANDAMENTOS DA LEI DE DEUS

1º) Amar a Deus sobre todas as coisas.
2º) Não tomar seu santo nome em vão.
3º) Guardar domingos e festas de guarda.
4º) Honrar pai e mãe.
5º) Não matar.
6º) Não pecar contra a castidade.
7º) Não roubar.
8º) Não levantar falso testemunho.
9º) Não desejar a mulher do próximo.
10º) Não cobiçar as coisas alheias.

MANDAMENTOS DA IGREJA

1º) Participar da missa inteira nos domingos e outras festas de guarda e abster-se de ocupações de trabalho.
2º) Confessar-se ao menos uma vez por ano.
3º) Receber o Sacramento da Eucaristia ao menos pela Páscoa da Ressurreição.

4º) Jejuar e abster-se de carne, conforme manda a Santa Mãe Igreja.
5º) Ajudar a Igreja em suas necessidades.

SACRAMENTOS DA IGREJA CATÓLICA

Batismo
Confirmação ou Crisma
Eucaristia
Reconciliação ou Penitência
Matrimônio
Unção dos Enfermos
Ordem

DONS DO ESPÍRITO SANTO

1) Fortaleza
2) Sabedoria
3) Ciência
4) Conselho
5) Entendimento
6) Piedade
7) Temor de Deus

VIRTUDES CRISTÃS OU TEOLOGAIS

Fé
Esperança
Caridade

VIRTUDES CARDEAIS

Prudência
Justiça
Fortaleza
Temperança

PECADOS CAPITAIS   VIRTUDES CAPITAIS

PECADOS CAPITAIS	VIRTUDES CAPITAIS
Soberba (orgulho)	Humildade
Avareza	Generosidade
Luxúria	Castidade
Ira	Paciência
Gula	Temperança
Inveja	Caridade (amor)
Preguiça	Operosidade

ABREVIATURAS DOS LIVROS DA BÍBLIA

Ab – Abdias
Ag – Ageu
Am – Amós
Ap – Apocalipse
At – Atos dos Apóstolos
Br – Baruc
Cl – Colossenses
1Cor – 1ª Coríntios
2Cor – 2ª Coríntios
1Cr – 1º Crônicas
2Cr – 2º Crônicas
Ct – Cântico dos Cânticos
Dn – Daniel
Dt – Deuteronômio
Ecl – Eclesiastes
Eclo – Eclesiástico
Ef – Efésios
Esd – Esdras
Est – Ester
Ex – Êxodo
Ez – Ezequiel
Fl – Filipenses
Fm – Filêmon
Gl – Gálatas
Gn – Gênesis
Hab – Habacuc
Hb – Hebreus
Is – Isaías
Jd – Judas
Jl – Joel
Jn – Jonas
Jó – Jó
Jo – João
1Jo – 1ª João
2Jo – 2ª João
3Jo – 3ª João
Jr – Jeremias
Js – Josué
Jt – Judite
Jz – Juízes
Lc – Lucas
Lm – Lamentações
Lv – Levítico
Mc – Marcos
1Mc – 1º Macabeus
2Mc – 2º Macabeus
Ml – Malaquias
Mq – Miqueias
Mt – Mateus
Na – Naum
Ne – Neemias
Nm – Números
Os – Oseias
1Pd – 1ª Pedro
2Pd – 2ª Pedro
Pr – Provérbios
Rm – Romanos
1Rs – 1º Reis
2Rs – 2º Reis
Rt – Rute
Sb – Sabedoria
Sf – Sofonias
Sl – Salmos
1Sm – 1º Samuel
2Sm – 2º Samuel
Tb – Tobias
Tg – Tiago
1Tm – 1ª Timóteo
2Tm – 2ª Timóteo
1Ts – 1ª Tessalonicenses
2Ts – 2ª Tessalonicenses
Tt – Tito
Zc – Zacarias

QUANDO LER A BÍBLIA

Quando estiver triste, leia: Sl 33; 40; 42; 43; Jo 14; Mt 6,19-34; Fl 4.

Quando os amigos falham, leia: Sl 26; 35; Mt 10; Lc 17; Rm 12.

Quando houver pecado, leia: Sl 51; Lc 15.

Antes da celebração na igreja, leia: Sl 84.

Quando estiver em perigo, leia: Sl 20; 91; Mt 8,23-27; Lc 8,22-25; 2Tm 3.

Quando Deus lhe parece estar muito longe, leia: Sl 139; Fl 4,6-9; 1Pd 5,7; Mt 6,25-34.

Quando estiver desanimado, leia: Is 40; Sl 23; Mt 5,4; 1Jo 3,1-3.

Quando quiser dar bons frutos, leia: Jo 15.

Quando as dúvidas o assaltarem, leia: Jo 7,1-7; Lc 11,1-3.

Quando estiver sozinho e atemorizado, leia: Sl 22; 42,6-12; 56,2-12; Hb 13,5.

Quando necessitar de paz interior, leia: Sl 1,1-3; 4; 86; 131; Lc 10,38-42; Rm 5,1-5; Cl 3,15.

Quando necessitar de oração, leia: Sl 4; 6; 22; 25; 42; Mt 6,5-15; Lc 11,1-3; Jo 17.

Quando estiver enfermo e na dor, leia: Sl 31; 38; 41,2-4; Mt 26,39; Rm 5,3-5; Hb 12,1-11; Tg 5,11-15.

Na tentação, leia: Mt 6,24; Mc 9,42; Lc 21,33-36; Rm 13,13; Tg 1,12; Jd 24-25.

Na aflição, leia: Sl 2; 16; 31; 34; 37; 38; 40; 139; Mt 11,28-30; Jo 14,1-4.

No cansaço, leia: Sl 6; 27; 56; 61; 90; Mt 11,28-30; Gl 6,9-10.

No agradecimento, leia: Sl 65; 92; 95; 100; 103; 116; 136; 147; 1Ts 5,18; Hb 13,15.

Na alegria, leia: Fl 4; Sl 98; 100; Lc 1,46-56.

Índice

Sumário, 5

Apresentação, 7

Orações quotidianas, 9
   Sinal da cruz, 9
   Pai-nosso, 9
   Ave-Maria, 10
   Glória-ao-Pai, 10
   Ao anjo da guarda, 10

Orações na santa missa, 11
   Ato penitencial, 11
   Glória, 11
   Profissão de fé (Credo), 12
   Oração pela paz, 12
   Cordeiro de Deus, 13

Orações da Liturgia das Horas, 15
   Benedictus, 15
   Magnificat, 16

Orações de contrição, fé, esperança e caridade, 19
   Ato de contrição, 19
   Ato de fé, 19
   Ato de esperança, 20
   Ato de caridade, 20

Orações ao Divino Espírito Santo e à Santíssima Trindade, 21
  Invocação ao Espírito Santo, 21
  Oração ao Espírito Santo, 21
  Oração à Santíssima Trindade, 22

Orações a Nossa Senhora, 23
  O anjo do Senhor, 23
  Rainha do Céu, 24
  Tota pulchra, 24
  Salve-Rainha, 25
  Consagração a Nossa Senhora, 26
  Lembrai-vos, 26
  À vossa proteção, 27
  Consagração ao Imaculado Coração de Maria, 27
  Oração a Nossa Senhora Aparecida, 28

Orações a São José, 29
  Oração a São José, 29
  Oração a São José Operário, 29

Ladainhas, 31
  Ladainha do Sagrado Coração de Jesus, 31
  Ladainha de Nossa Senhora, 33
  Ladainha de todos os santos, 36

Via-sacra, 41

O santo rosário, 49

Orações da manhã e da noite, 55
  Oração da manhã, 55
  Oração da noite, 56
  Saudação do dia, 57
  Ao deitar, 57

Orações para as refeições, 59
    Oração para antes das refeições, 59
    Oração para depois das refeições, 59

Orações diversas, 61
    Oração diante do crucifixo, 61
    Invocações a Nosso Senhor Jesus Cristo, 61
    Bendito seja Deus, 62
    Oração ao Sagrado Coração de Jesus, 63
    Oração da paz – I, 63
    Oração da paz – II, 64
    Bênção da família, 64
    Bênção dos filhos, 65
    Oração pelos pais, 65
    Oração dos jovens, 66
    Oração por um doente – I, 66
    Oração por um doente – II, 67
    Oração para antes de uma viagem, 68
    Adoração ao Santíssimo Sacramento, 68

Informações básicas para o cristão católico, 69
    Mandamentos da Lei de Deus, 69
    Mandamentos da Igreja, 69
    Sacramentos da Igreja Católica, 70
    Dons do Espírito Santo, 70
    Virtudes cristãs ou teologais, 71
    Virtudes cardeais, 71
    Pecados capitais, 71
    Virtudes capitais, 71
    Abreviaturas dos livros da Bíblia, 72
    Quando ler a Bíblia, 73

Conecte-se conosco:

- **f** facebook.com/editoravozes
- **◉** @editoravozes
- **𝕏** @editora_vozes
- **▶** youtube.com/editoravozes
- **☎** +55 24 2233-9033

www.vozes.com.br

Conheça nossas lojas:

www.livrariavozes.com.br

Belo Horizonte – Brasília – Campinas – Cuiabá – Curitiba
Fortaleza – Juiz de Fora – Petrópolis – Recife – São Paulo

EDITORA VOZES LTDA.
Rua Frei Luís, 100 – Centro – Cep 25689-900 – Petrópolis, RJ
Tel.: (24) 2233-9000 – E-mail: vendas@vozes.com.br